177번지

177번지

발　행 | 2016년 06월 20일
저　자 | 송선화
펴낸이 | 한건희
펴낸곳 | 주식회사 부크크
출판사등록 | 2014.07.15.(제2014-16호)
주　소 | 경기도 부천시 원미구 춘의동 202 춘의테크노파크2단지 202동 1306호
전　화 | (070) 4085-7599
이메일 | info@bookk.co.kr

ISBN | 979-11-272-0080-0

177번지

송선화 지음

CONTENT

두서없이 책을 시작합니다. 놀라지 마세요.

저는 책을 쓸 만큼 꿈이 많다거나, 열정이 있는 사람이 아니에요.
하루하루 정신없이 살아가는 평범한 스물 셋입니다.

그냥 언젠가 한 번 내 이름으로 된 책을 갖고 싶다는 생각을 했고,
유익한 일을 배워 누군가에게 도움이 되고 싶었고,
여행을 자주 다니고 싶다는 (지키지도 못할) 다짐들을 많이 했고,
기타를 잘 치고 싶었고, 맛 집을 검색하면서 다이어트를 꿈꾸는.
이런 소박한 소망과 꿈을 품고 있는 딱 나 같은 사람입니다.

이 중에 아무것도 이룬 것이 없어요, 사실.
하지만, 내 이름이 담긴 책 한 권만큼은 포기 하지 않고
끝까지 쓸 수 있기를 바라요.

제발, 때려 치지 말자 선화야.

'모든 기쁨과 영광은 하늘 아버지께-'

#1. 그 사람 이야기

1.

어느 날, 꿈에 그 사람이 나왔다.
아마 내 꿈에 가장 많이 등장한 사람이 아닐까 싶은데
이상하게 이것만 기억이 난다.
우리는 날 좋은 날, 피크닉을 갔고 즐겁게 놀다 나른해진
날씨에 그 사람 무릎을 베고 누웠는데 너무나 다정하게
내 머리를 쓸어내리며 이제 헤어지자고 말하던 모습.

깨어난 후에 그 말을 한참 곱씹다가
기억속에서도 보내줘야지 다짐을 했던 날.
따뜻한 날씨에 기억을 잘 말릴 수밖에 없었던 날.

2.

그 곳에서 함께 들었던 음악, 즐거워했던 네 표정,

나를 생각해주던 네 마음까지 차마 버릴 수가 없어서.

네가 준 물건들 다 그대로야.

갖지도 못하고, 버리지도 못하게.

잡지도 못하고, 놓지도 못하게.

보고만 있으라는 작전이면 성공했다.

3.

핸드폰을 살펴보다 네가 SNS를 시작했다는 알림이 뜨더라.

한 참을 고민하다 용기를 내어 들어가 보니
당신의 SNS에는 한 장의 사진이 올라와있었어.
나랑 있을 때 보다 더 좋아 보이는 모습으로,
다른 누군가와 함께 찍은.

마음이 좀 저렸고, 이러다 심장마비가 올 수도 있겠구나 싶었고,
이상하게 화딱지가 좀 나기도 했던.
바쁜척하면 나아질까 싶어 일만 하며 살았는데
다 소용없는 거였으면 미리 말이라도 해주지.
너와의 끝은 언제나 이별이구나.

#럽스타그램 망해라!

4.

아는 선배가 얼마 전에 꽤 오랜 시간 만난 사람과 헤어졌대.

그 이야기를 한 달째 듣고 있고,

덕분에 나도 한 달째 너를 생각하고 있다.

** 그 사람은 꽤 다정했던 것 같아.
음식을 먹을 때, 어떻게 먹어야 하고, 마실 것으로는 뭐가 좋고,
자상하게 다 설명해주던 사람 이었나봐.
나는 너와 밥 먹을 때, 피곤하다며 메뉴에 신경도 안 썼는데.
맛있다는 말 밖에는 해준 말이 없는데. 후회 많이 했다.
아, 볶음밥 해주겠다는 약속도 못 지켰네.
레시피 다 적어놨는데.

5.

그런데, 손은 여전히 예쁘더라.
잡아보고 싶게.

네가 낀 커플링 되게 별로야. 나랑 했던 게 제일 예쁘다야

** 당신은 손이 참 예쁜 사람이었어.
덕분에 오늘은 네 손 사진에 마음이 이렇게 무너져 내리네.
내 마음은 언제나 하나니까 서로 떨어져 있어도 불안해하지 말고,
염려하지 말자고 약속한 게 생각난다.
잘해주지 못한 건 어쩔 수 없어도
약속을 지키지 못한 건 두고두고 이렇게 후회스럽다.
네가 행복해보이니까 나도 걱정이 좀 덜 된다.

다행이야.

6.

바람이 우리 시간 사이사이를 걷는 밤이다.

너와 나 사이의 공기도 뜨겁지도, 차갑지도 않은

이런 느낌이었을까.

7.

드라이플라워가 꽃 가게 앞에 아슬아슬 매달려있다.
내 안에 이미 다 말라버린 너를
나도 저렇게 수많은 끈으로 매어놓았던 건 아닌지 생각이 들어,
쉽게 발걸음을 옮기지 못하고 한참을 서성댔어.
아마 당분간은 네 생각을 하게 되겠지.

8.

밥은 먹었는지, 나랑 차 한 잔 할 수 있는지 묻자

너는 내가 가장 좋아했던 네 눈빛으로 어리둥절해 했고,

오늘이 우리의 시작이라고 자연스럽게 말을 건넸다.

그 날은 아주 예쁜 봄이었어.

** 처음 만난 날이 많이 생각납니다.
나는 늘 그 사람 앞에서 말이 많은 사람이었어요.
참 이상하죠. 내가 이렇게 말 많은 사람인 줄 처음 알았거든요.
그 사람은 답답했을 거 에요.
자신이 하고 싶었던 말, 가슴에 묻어 놓은 날이 많았을 테니까.
결국 헤어지자는 말도 말 많은 내가 해버렸으니까.

9.

다들 널 왜 좋아했냐고 나에게 묻는다.

나는 말야,

날 만날 때 두 팔 벌려 반겨주는 네 품도 좋았고,

사근사근한 말투도 좋았고,

보고 있어도 또 보고 싶은 눈웃음도 참 좋았어.

너 정도면 난 평생 행복하겠다, 싶어서.

** 책을 읽다가 너와 꼭 닮은 주인공을 만났어.
어쩜 이리도 너랑 닮았을까 생각하며 웃다가, 먹먹했다가,
씁쓸했다가, 행복했으면 됐지 하며 마음을 다 잡던 날.

10.

손잡고 걸어가는 모습, 보기 좋더라.

혹시나 네가 뒤돌아보는 것 같아서 얼른 선글라스를 꼈어.

11.

이제는 널 다 잊어가.

기억 속에서 사라진다기 보다는,

그 사람 옆에 있는 네가 정말 행복해보여서.
내가 없는 네 일상이 아주 자연스러워보여서.

이제 그만 널 잊어도 되겠구나. 안심해.

12.

사랑에 빠지는 건 쉽지만, 가까워지는 건 어렵다.

그래서 정작, 가장 가까워져야 할 사람과 가장 멀어져 버렸네.

13.

날 늦은 시간까지 잠 못들 게 하는 이 추억들이 너에게도

안녕이란 인사이자, 안부이길.

14.

오랜만에 네가 좋아하던 섬유유연제 냄새가 나더라.
너를 기억하기 좋은 날이야.

혹시나 이곳에 네가 머물다가지 않았을까,

괜스레 주변을 둘러보다 이게 뭐하는 짓인가 싶어
노래를 틀었는데 그 노래마저 네가 좋아하던 노래였을 때.

매일매일 네가 아닌 순간이 없구나.

15.

잘 가.

글씨만큼이나 무심하게, 그렇게 널 보내고 싶었는데.
항상 마음보다 생각이 쉬운 게 문제다 문제야.

16.

내가 너 없는 봄을 4번 다 보낼 때까지,
내 모자란 마음을 이해해줘.

** 그 사람과 꽤 오랜 시간을 만났어요.
이제 그 사람 없이 나도 잘 살아보고 싶어 다시 리셋 하는 마음으로
한 계절을 보냈는데 아무래도 4계절 가지고는 잊기에 부족할 것 같네요.

TV프로그램에서 어떤 사람이 그러더라고요.
상대방과 알고 지낸 시간이 15년이면
헤어지는 데에도 15년이 걸린다고.
어렴풋이 4년 정도를 만났으니, 잊는 데에도 4년이 걸리겠죠.
천천히 보내주는 게 나에게 좋을 것 같아요.

17.

너에게 묻는 것도, 대답을 듣는 것도
그렇다는 것도, 그렇지 않다는 것도
나에겐 모두 힘든 말이지.
그래도 꼭 묻고 싶은 말,

"잘 지내고 있는 거지?"

18.

벌써, 너 없이 4계절이 다 갔다.
그런데도 나는 아직 너와의 일들이 너무 가깝다.

네가 새로운 사람과 함께 웃으며 찍는 사진들
매일 같이 확인해도 매일같이 마음 아파.
그런데, 이렇게라도 네 얼굴을 봐야 내가 살지 않겠냐.

19.

오늘 같은 날은 꼭 네가 보고 싶다.

20.

이렇게 멀어질 줄 알았으면 그 이름, 한 번 더 불러볼 걸 그랬다.

활짝 웃으면서, 더 다정하게.

21.

그냥 길 가다가 우연처럼 그렇게 마주치기를.
마주쳐 인사를 건네다 듣고 싶던 네 목소리, 들을 수 있기를.

22.

덕분에,
적당히 생각도 했다가, 적당히 그리워했다가, 적당히 잘 산다.

23.

있잖아, 내가 술을 안 해.
술을 마시고 혹시나 네 생각이 날까봐 술도 끊었다.
철없이 술 마시고 전화할까봐.

** 술을 빌미로 전화하고 싶진 않았어.
다음날 기억이 안 난다며 비겁해지기도 싫었고,
술의 힘을 빌려 진심을 전한 거라고 말하고 싶지 않았어.
무엇보다, 네 전화번호를 지우기가 싫었어.
나는 아직 너 잊고 싶지 않거든.

24.

한 때, 사실은 지금도 어느 정도의 감정이 남아있는 사람에게
모든 감정을 배제하고 이성적인 내가 되어야 하는 건, 눈물겹다.

** 헤어진 후에, 이 글을 그 사람이 봤어요.
마음이 아팠다고 하더라고요.
그 말이 또 듣고 싶어서 바보같이 이 책에도.

25.

또 생각날 수도 있어요.
느닷없이 생각날 때가 있어요.
그게 바로, 오늘이에요.

26.

어딜 가든, 무얼 하든 늘 내 기억 속에 마주하고 있어
그냥 지나칠 수 없던 너를 이제는 뛰어넘으려 해.
그것도, 약이 될 테고
결국엔 그게 나에게 도약이겠지.

** 도약, 시작, 출발이라는 주제로 글을 쓰라고 했는데
나는 왜 이런 글을 생각해 낸 거냐. 도대체.

27.

다들 한결같은 게 좋은 거래.
그런데 나는 늘 한결 같아서 문제다.
늘 한결같아서, 네가 좋아하던 머리스타일 아직도 하고 다니고,
네가 좋아하던 하늘색 셔츠도 제일 아껴 입고,
아직도 너희 집 앞을 지나치는 버스를 타.

잠깐이라도 시간이 나면 너를 만나러 가야할 것 같고,
매운 음식을 못 먹던 너를 위해 덜 매운 메뉴를 찾아야 할 것 같고,
네가 빼놓은 양파는 내 접시로 옮겨 닮아야 할 것 같고 그래.

나는 참 여전해. 너에 대한 모든 것들이, 한결같이.

28.

김장철이 되어서 다들 김치를 담구는 데
나는 김치대신 마음을 김장했어.
하고 싶은 말도, 듣고 싶은 말도 다 꾹꾹 눌러서 묻어 놓았어.
오랜 시간 잘 숙성돼서 나중에 꺼내어보면 좋은 기억으로,
영양가 있는 기억으로 남기를 바라는 마음으로.

29.

우리는 더 멀어져야 해.
지구 반대편에 있더라도 나는 너와 가까울 테니까.
-SNS

** 너는 SNS를 안 한다고 했다.
우연히 들려오는 내 소식에 마음이 흔들리지 않기 위해서.
세상이 많이 좋아져서 지구 반대편에 있는 소식들도 가깝게
접할 수 있는데, 우리는 애써 더 멀어져야겠구나.

30.

생각나도 괜찮아.
이제 나아질 일만 남았어.
-사랑니

** 처음엔 그저 사랑니를 뽑으러 간 거였는데
들여다보니 신경치료 해야 할 만큼 아픈 이도 있었고,
치료해야 할 충치도 있더라.
나도 처음엔 네 얼굴만 보고 싶었는데
들여다보니 네 아픔도 보이고
또 다시 들여다보니 치료가 필요한 상처도 있더라.
있는 힘껏 네 상처들에 내 사랑을 넣었어.
그게 언젠가는 뽑아내야 하는 사랑니인줄도 모르고.

-사랑니, 사랑이 그런 줄도 모르고,

31.

오니까 좋네,
네 소리도 좋고,
냄새도 좋고,
너만의 그 특유한 분위기도 좋고.
그런데 차라리 처음부터 오지말지 그랬어.
그럼 이렇게 속수무책으로 당하지도 않았을 텐데.

32.

오기를 바라지만, 오지 않았으면 하는 것.
너랑 닮았다.

** 이 두 글의 정답은 '비'입니다.
그런데 자꾸 생각이 나는 건 '너'입니다.

33.

같이 먹었던 밥이 맛있었던 건지,
함께 보았던 가을 하늘이 상쾌했던 건지.
우리가 했던 이야기들이 달콤했던 건지.
오늘 하루 내가 눈길을 주었던 모든 것이
아주 좋다.
그 중에서도 네가.

34.

보내고 싶을 때,
딱 내가 보내고 싶은 만큼만 마음을 보낼 수 있다면.
-기프티콘

** 너무 과하지도 않게, 너무 모자라지도 않게.
아껴뒀다가 사랑을 받고 싶을 때, 교환해서 받을 수 있도록.

35.

먼발치에서 나만 널 보았던 그 날,
너의 그 행복했던 표정을 나는 잊을 수가 없어.
다른 생각들을 다 떠나,
네가 웃고 있으니까 내 마음이 얼마나 기쁘던지.
그래, 다 몰라도 돼.
계속 그렇게 내 생각 말고 잘 지내면 돼.
나는 그거면 돼.

** 우연히 그 사람이 사는 동네 앞을 지나가다 버스정류장 의자에
앉아있는 걸 발견했어요. 나는 반가운 마음에 막 뛰어가서 놀라게
해주려고 했는데 생각해보니 그런 사이가 아니더라고요.
그래서 얼른 정류장 뒤로 숨어버렸지 뭐에요.
그때 만난 그 사람은 행복해보였어요.
오랜만에 기분이 좋아 보였달까.
그냥 웃고 있는 모습 보니까 나도 모르게 반가웠나 봐요.
그래도 잘 참았습니다.
아마, 그날 그 사람을 붙잡았더라면, 조금은 달라졌을지도 모르죠.
소개팅 하는 날이었거든요.

36.

사랑은 눈으로 하는 것도, 귀로 하는 것도 아니에요.
보기 좋은 사람, 듣기 좋은 사람 만나려고 애쓰지 마세요.
사랑은 마음으로 하는 거니까요.

37.

숨을 쉬려고 잠시 벌린 입 틈으로 눈이 들어왔다.
너도 아마 이렇게 갑작스럽게, 내 마음에 들어 왔겠지.
언제 왔는지도 모르게 사라지는 것 까지 닮았다, 너랑.

** 길을 걷는데 갑자기 입 안으로 눈이 들어와서 놀랐다.
들어온 후에야 '아, 눈 이었구나' 알아차렸고,
그땐 이미 다 녹아 사라져 버린 뒤였다. 네 생각이 났다.

38.

어떤 누군가는 사랑하기 때문에
헤어진다는 말을 도저히 이해할 수 없다고 했다.
그런데 사랑하기 때문에 헤어질 수밖에 없는 인연들도 있다.
상대방에게는 꼭 필요한 부분인데,
나에게는 없거나 혹은 나로 채워지는 것이 아닐 때.

나는 보내주기를 결심한다.
그 사람의 더 나은 행복을 위해서.

붙잡고 싶지만 놓아 주는 것
내 옆에만 두고 싶지만 보내주는 것
서로를 위한 일이라면, 사랑하는 사람을 위한 것이라면
이별까지도 할 수 있는 것.

** 무엇이든 지나치면 일을 그르치듯이,
너를 붙잡고 싶은 내 마음이 너무 과해
함께 했던 시간까지 그르치고 싶진 않았으니까.

39.

계절마다 한 번씩, 기념일에 한 번씩, 문득문득 또 한 번씩.
너를 보내주고, 놓아주고, 이별하기를 몇 년 정도 반복하니까
그때서야 진짜 이별을 했다.
지금 당장 그 사람을 떠날 수 없다면
때로는 그냥 그 곳에 좀 더 머물러 있는 것도
방법인 것 같습니다.

몇 년이 걸릴지 모른다는 게 함정이지만.

40.

아주 오래오래 한 마음으로.
물 흐르듯 평안하게 독특한 나의 사랑 법으로, 너를.

41.

나름대로 표현을 많이 하는 사람이었는데

표현할 대상이 사라져버린 뒤로, 조금은 무심한 사람이 되었다.

원래의 내 모습으로 돌아온 거겠지.

그래도 네 핑계를 대고 싶다.

이것이 내가 할 수 있는 몇 안 되는 것 중에 하나니까.

42.

가장 나다워질 수 있는 곳,

진짜 나를 만날 수 있는 곳.

네 앞. 잠시만 쉬었다 갈게.

43.

어떻게 써야 잘 쓰는 걸까?
내 마음.

44.

이런 냄새를 맡으면 항상 생각나는 사람이 있었는데

바램으로는, 네가 아니었으면 좋겠다.

45.

그냥 봄이라던가, 가을이라던가.
너무 두껍지도 얇지도 않은 적당한 옷차림을 하고
약간의 잔잔한 분수가 나오는 곳 앞 벤치에 앉아
사근사근한 이야기를 나누고 싶다.

이제 막 지기 시작한 노을이 예쁘다거나,
지금 이 공기가 너무 좋다거나,
오늘 함께 먹은 밥이 맛있었다고.
그리고 너와 이렇게 나란히 옆에 앉아 얼굴을 바라보며
이야기를 나누는 이 시간이 너무 달다고.

46.

좋아하는 것과 사랑하는 것은 다릅니다.

사랑하는 것은
내가 마음을 다하며 그것을 위해 기꺼이 희생하는 것이고,
좋아한다는 것은
그것을 이용하거나 이익을 얻는 거더라고요.

강아지를 사랑하면 키우지만,
좋아하면 건강에 이용하기 위해 먹는 것과 같이.

47.

때로는 어떤 향기가 머리에 각인되어 그 향을 맡았을 때

그것을 처음 맡던 날씨, 느낌, 기분들이 그대로 떠오른다.

그리고 때로는 어떤 날짜가, 시간이, 이름이 마음속에 각인되어 나도 모

르게 아는 척 하게 되는 순간들도 있다.

1년 365일의 날짜 중에, 많고 많은 날 중에 하필 오늘이.

-기념일이었어요.

48.

먹는 것이 더 이상 나에게 기쁨이 되지 못했고,

우리의 시간도 더 이상 나에게 기쁨이 되지 못했다.

49.

자다가 추워서 아침에 깨어나면 지난 밤 이불 덮지 않은 것을
후회할 걸 알면서도, 잘 못잘 걸 알면서도

나는 너를 덮지 않았구나.

50.

이제는 '사랑'하면 그 사람만 떠오른다.
내가 생각할 수 있는 사랑의 전부가 되어버렸나 보다.

51.

그 사람에게 책을 몇 권 빌려줬었다.
헤어지고 난 후 그 책을 돌려달라고 했다.
내가 생각해도 구질구질한 일이었지만,
표현해주지 못한 모자란 마음들이 책 속에 다 있어서
들키지 않았으면 싶었다.

내 마음 같은 페이지를 무수히도 접어놓아 적나라하게 드러났던
사랑이 네 마음을 흔들까봐서.

이제는 너가 다시 내게 돌아오지 않았으면 해서.

52.

그러게,
누군가한테 사랑한다는 말을 들어본지가 언제인지.
분명한 건, 가장 최근에 그 말을 해줬던 사람이 당신이었다는 것.
때문에 사랑한다는 말을 보거나 듣게 되면 그 사람의 목소리,
표정, 눈길 같은 게 떠오른다.
나도 당신한테 다정한 말들 더 많이 해줄 걸 싶어
후회스러운 하루를 보냈다.
지금의 나처럼 길을 걷다, 책을 읽다, 무심코 눈길을 준 곳에서
사랑한다는 말을 발견했을 때 내 생각이 나도록.

53.

손톱을 뜯는 버릇이 있다. 스트레스를 받으면 더 심해진다.
우연치 않게 SNS에 올린 사진에 내 손이 등장했는데
그 사람이 사진을 보더니 제일 먼저 한다는 말이,

"손톱 여전히 뜯네. 그렇게 하지 말라고 했더니.
상처가 많은 것 보니까 요즘 스트레스 받는 일 있는 거야?"
라고 물었다. 보고 싶어서 눈물이 났다.

54.

누구에게나 첫사랑이 잊을 수 없는 기억으로 남는 것은
나의 애틋한 감정들을 묵묵히 받아들이는 것으로,
그 사랑을 대신하기 때문이다.

이제까지는 내 손에 쥐고 있던 걸 한 번도 놓아본 적이 없는
삶이었는데 하필 가장 붙잡고 싶었던 사람을, 사랑을
이제 그만 내 손에서 내려놓아야하기 때문이다.

나의 한 시절이 담겨있는 사람이
다른 사람의 시절도 담을 수 있도록.
내가 내 의지로 놓아주어야하기 때문에.

아, 말로 설명하기 어렵다. 사랑이라는 것이.
그 중에서도 특히 첫사랑이라는 것은 더더욱.

#2. 너 이야기

1.

살면서 늘 푸르른 것 하나쯤은,
변하지 않는 것 하나쯤은 있어야 하지 않겠나.

예를 들면, 동네친구 같은.

2.

비바람에 힘없이 떨어지는 꽃잎 하나조차
땅에 떨어지는 게 이토록 안쓰러워 며칠만 더 보았을 걸 싶은데
하물며 피지 못한 꽃들은.
너희들에게 마음으로 이 좋은 계절을 보낸다.
봄인데 이제 그만 깨어나야지.
들려주고 싶은 이야기가, 보여주고 싶은 세상이 얼마나 많은데.

-세월, 후

** 이 페이지는 그냥 비워둬야 할 것 같아요.
그 어떤 말로도 완벽히 채울 수 없을 테니까요.

3.

어, 왔어? 춥지?
얼른 밥 먹으러 가자!

늘 가던 곳에 가보면, 늘 지나오던 거리를 걷다보면
내가 항상 있을 거야. 늘 해오던 말들로 널 반기면서.

오늘은 하나도 안 변했다는 말이,
여전히 그대로라는 말이 참 좋다.

4.

그런데 너는 앞 칸에 나는 뒤 칸에 타는 바람에
많은 사람들에 가려, 스쳐지나가는 풍경들에 가려
네 얼굴을 보지 못했을 수도 있다는 생각이 들었다.

혹은 같은 버스를 탔는데도 나는 이번 정류장에서 내리고
너는 이번 정류장에서 타는 바람에 또 서로를 놓쳤을지도
모른다는 생각.

인연이라는 게,
그냥 웃어넘기는 말이면서도 또 그냥 지나칠 수는 없는
그런 것 인가보다. 그래서 오늘 겪었던 모든 사연들을
다이어리에 적으며 다 기억하고 싶은 것일지도.

** 세상에 많은 인연들이 흘러가는 방법.

5.

사람을 아끼고 소중히 대하는 마음은 거창한 것이 아님을
새삼 깨닫게 된다.
그냥 그 사람과 함께 마실 차를 고민하며 고르는 것,
너무 바쁜 와중에도 얼굴보기 위해 단 몇 분의 시간을 내는 것,
그 마음이면 충분하다.

6.

생각할 일도 많고, 해야 될 일도 많고,
맞는 건 하나도 없고, 맘에 드는 것도 하나 없어
너무너무 짜증났던 요즘이었는데
오늘 하루 짜증이 났던 또 다른 누군가가 나에게 전화를 했다.
커피 한 잔 함께 마셔줄 수 없냐고.
누구랑 있어야 기분이 풀릴지 생각해보니까
내 전화번호가 눌렸다고.
그 말에 수많던 짜증이 내려갔다. 사랑은 이런 건가 보다.

-동네친구

7.

좋아하는 사람들과 이야기를 나누다가
결론은 사는 게 다 똑같다는 것으로 끝이 났다.

23살이나, 38살이나, 41살이나.

세상에 나만 이런 게 아니구나 싶어 나름대로 위로가 되었다.
아마 당신도 내 이야기를 들으면 그런 생각이 들 거 에요.
너무 염려하지 마요.

8.

예전에 아주 어릴 때, 아마도 초등학교 때 쯤.
그 당시 친했던 친구의 집 우편함에 편지를 꽂아놓고
온 적이 있었어요. 아무것도 재거나 따지지 않았던
그 시절의 저는 좀 더 괜찮은 사람이었나 봐요.
제 기억으로 그 시절의 당신은 그런 나보다 좀 더
괜찮았던 사람이었고요.
그러고 보면, 우리는 모두 좀 괜찮은 사람들이었네요.

9.

무조건 사랑만 받고 자랐으면 하는 사람들이 있다.
몇 시간 전에 보고 온 그 아이들처럼.

아이들한테는 적어도 때 묻지 않은 사랑을 주는 어른이기를
늘 기도해요.

10.

좋은 공연 또는 좋은 영화 한편
맛있는 밥 한 끼, 좋은 사람 한 명

이 모든 것을 누릴 수 있는 어느 정도의 여유로운 시간.

11.

사실, 보고 싶은 얼굴들이 많아요.
가만히 길을 걷다보면 생각나는 사람들도 있고요.
그런데 왜인지 연락하는 게 내 마음처럼 쉽지 않아진 나는
오늘도 보고 싶은 사람들, 마음에만 간직했네요.

** 때로는 너무 당연하고, 자연스러웠던 것들이
어느 순간, 낯설어 지는 때가 있듯이.

12.

색이 고운 낙엽이 몇 개 떨어져 있는, 회색빛 시멘트 길을 걷다
문득 너무 외로워보여서 손을 내민 채로 사진을 찍었어요.
꽤 분위기 있게 잘 나왔더라고요.
문득, 내가 외로울 때 색이 고운 당신이 그 길 위에
같이 있었으면 좋겠어요.
나 또한 당신의 길 위에 색이 고운 낙엽으로 머물러 있을게요.
그것도 꽤 분위기 있지 않을까요?

13.

우리 모두 잘 살아내고 있었으면 좋겠다.
이제 서야 조금씩 느끼는 거지만, 삶이 늘 넉넉지 못하다.
그럼에도 언제나 평안하기를 바라면서
다들 하루하루를 열심히 살아내고 있는 거겠지.
우리 힘을 내서 잘 살아내자.

14.

관계의 끝 역시 계절이 바뀌듯, 날씨가 변하듯
변덕스러운 구석이 있어도 막을 수 없는 일이다.

변했다는 것,
그것을 인정하는 것은 여전히 슬픈 일이지만.

15.

사람 마음이란 게 참 옹졸해서
옷 하나에, 신발 한 켤레에 마음이 그렇게 상한다.
그냥 좀 너그러운 마음으로 다 내어줄 것을.
없으면 다른 옷을 찾으면 되고, 닳으면 새 것을 사면되는데
그게 참 어려워서 나는 오늘도 마음에 짜증이 한가득했다.
그렇게 좋은 날을 또 낭비했다.

그니까 내 옷 좀 입지 마. 입으려면 깨끗하게 입던가.

** 많은 사람들이 이 문제로 형제, 자매와 다투죠.
저희 집은 서로가 너무 달라요.
큰 놈은 자유롭고, 술을 좋아하며, 남자지만
작은 놈은 안정을 추구하고, 술도 안마시며, 여자죠.
그 다른 와중에 옷 스타일 하나는 비슷해서 좋은데
맨날 세탁 해놓은 옷만 골라가서 입고 더렵혀 온다는 게 함정!

용. 서. 못. 해 !

16.

내가 잘 안다고 생각했던 사람이 내 생각과는 전혀 다른 사람이었고,
가깝게 지내며 늘 만나던 친구가 오늘따라 유독 어렵게 느껴졌고.
하나부터 열까지 너무 낯설었던 하루.

17.

땅의 질로 비교하자면 강남에 있는 흙과 시골의 흙 중,
후자의 땅이 훨씬 더 좋다. 하지만, 땅의 값으로 비교하면
강남에 있는 땅이 몇 배는 더 비싸다. 사람도 마찬가지.
질로 비교하면 훨씬 더 좋은 사람들이 많은데,
인격과 품성, 가능성 같은 것들을 값으로 치는 세상이 되었다.
적어도 우리만큼은 제발, 아스팔트 속에 갇혀 열매를 맺을 수 없는
땅이 되지 말고, 좋은 성질을 가진 흙이 되기를.
굳은 중심과 지조를 지키는 몇 명의 사람들로 인해,
세상은 때로 변하기도 하니까.

** 변하지 않는 사람들을 통해 변하게 되는 것,
   좀 멋진 일 아닌가요?

18.

어떤 건 고마움일 테고, 어떤 건 사랑일 테고,
어떤 건 용서일 마음들이 참 많이 꽂혀있다.
저 수많은 꽃들 중에 당신은 오늘 어떤 마음을 샀나요?

** 아기자기한 드라이플라워를 적당히 몇 송이씩 묶어
꽃다발을 만들어 놓고는 한 가득 꽂아놓을 때,
마음이 참 많이도 꽂혀 있구나 하는 생각을 해요.
어떤 마음을 사갈까 궁금하기도 하고.

19.

알고 지낸 시간이 우정의 얕고, 깊음을 정하는데
중요한 역할을 하진 않지만,
그 시간 사이사이에 새겨진 추억에는 비례한다.

마음이라는 것이.

20.

이렇게라도 소식 듣고 알게 된 걸 감사히 여기자는 마음보단,
모르고 지나갔으면 좋았을 법한 소식들이 더 많은 것 같다.

#Instagram

** 사람들이 SNS를 하지 않는 이유들이 저마다 있죠.
저는 요즘 저런 생각이 자주 드네요.

21.

하고 싶은 말이 10가지 있다면
그 중에 정말 필요한 말 3가지만 골라 말하는 게
가장 현명하고 적절한 대화라고 생각한다.

그런데 가끔은 하고 싶은 말과 필요한 말 사이에서 갈등을 겪다
결국 상대방의 마음에 거리낌이 되는 말을 해버리고 만다.

내가 하고 싶은 말을 할 때 대부분 그런 일이 벌어지는데,
내 욕심이 이성을 뛰어넘지 않는 선에서
예의를 지키며 말하는 것이 사람됨이라고 할 수 있겠다.

혹여 당신의 마음에 거리낌이 되는 말을 했다면 다들 미안.

** 입은 하나뿐이에요. 하나만 있으면 충분하니 한 개 일수도 있고,
오히려 충분하게 하지 않기 위해 하나만 지으신 것일 수도 있죠.
그만큼 중요해요, 말이라는 것이.
필요할 때, 적절한 말은 사람을 살리는 약이기도 하지만
동시에 마음을 찌르는 무기가 될 수 있으니까요.

22.

산 좋고, 물 좋은 곳에 가서 또는 시골에 가서
하늘에 있는 별을 올려다본 적이 있으신가요?
처음에는 내 눈에 띄는 가장 밝은 별 하나가 보이지만,
그 별을 보고 있으면 옆에, 앞에, 뒤에, 주변에 가득하게
별이 있음을 발견하게 됩니다. 온 하늘이 별천지가 되는 것이죠.

당신도 마찬가지에요.

지금 눈앞에 보이는 별이 하나라 속상해하지도, 불안해하지도 말아요.
사실은, 당신이 살고 있는 모든 순간들이 다 반짝반짝 빛나는
별이니까요.

23.

네, 맞아요. 엄청 바빠요.
하루 종일 구두 한 번을 벗을 시간이 없을 정도로요.
그런데 요 며칠 지내보니까 다 핑계였더라고요.

미뤘던 약속들을 지키며 사람들에게 다정해지는 것보다
나는 그저 일 잘하는 사람이 더 되고 싶었던 거 에요.

눈코 뜰 새 없어도 간절하다면 시간을 낼 수 있고,
혹 그렇지 못하더라도 일이 다 끝난 후에
반갑게 날 맞이해 줄 사람이 있어요, 꼭.

나에게 그런 사람이 되어줘서 고맙다. 친구들아.

24.

두통약을 먹는 날이 많아졌고,
식당에 앉아 밥을 먹는 여유는 고사하고
가는 길에 과자나 빵을 사먹는 게 끼니가 되었다.

너무 바빠 할 일이 많다보니 집에 찾아올 줄 알면 다행인
기억력이 되었고, 보살피고 돌보아야 할 사람들이 많아졌고,
책임져야 할 일들은 내 한계를 뛰어 넘은지 오래다.

그럼에도 누군가의 말처럼, 백 명을 기쁘게 해주는 일보다
한 명을 외롭지 않게 하는 일, 그것이 나의 일이라서
이렇게 힘들고 지치는 삶을, 눈물 없인 할 수 없는 일을
포기할 수가 없다.

내일은 요즘 들어 많이 고단하고 지쳐있던
당신을 만나러 갈 거 에요. 그러니 외롭다고 생각 마요.
내가 당신을 위해 기도할거예요.
하루가 당신으로 온통 바쁠 만큼, 마음을 다해 생각할거니까요.

25.

한 친구가 이런 이야기를 했어요.
100만원을 벌던 사람이 150만원을 번다고
좀 더 나은 인생이 되는 건 아니라고.

하물며 이사를 해도, 집을 꾸미는 것이 제일 중요한 데
당신의 인생을 돈과 명예로, 인기와 권력으로
꾸미지 않았으면 좋겠어요.
한 순간에 사라지는 일회용품으로 집을 꾸미진 않잖아요, 다들.

26.

Look behind when you are tired,
I will always be there.

당신이 피곤할 때 뒤를 돌아보세요.
내가 항상 거기에 있을 거 에요.

** 저는 아주 친한 친구들을 '인생친구' 라고,
아니 최근에는 '내 몸뚱이들'이라고 저장했어요.
그 중 내 몸뚱이 1번이 포토북을 만들어 준 적이 있습니다.
차근차근 보다보니까 어떤 페이지에 저 글이 적혀있더라고요.
내 몸뚱이는 아직 건강한 것 같아요.

누구나 그렇듯이, 오래오래 몸이 건강하기를 바라게 되죠.
오늘은 내 몸뚱이들을 위한 기도를 하고 잠들어야겠어요.

27.

힘들어도 이 악물고 살다보면 살아지고,

그렇게 살아지다보면 힘들었다는 사실도 어느 새 사라지고.

28.

왼쪽, 제일 위.
음식점에 들어가서 메뉴판의 왼쪽페이지, 가장 위의 메뉴를
시켜 먹어보면 그 집이 어떤 집인지 알 수 있다고 한다.
메뉴판은 가장 기본적인 요리부터 순서대로,
혹은 가장 자신 있는 요리를 첫 번째로 써내려 가는데
기본이 되는 그 요리가 맛이 없다면 다른 메뉴들도
형편없다는 게 그 이유이다.
사람도 마찬가지로 가장 기본적인 것들이 갖춰지지 않았다면,
다른 모든 것들도 형편없기 마련이다.
항상, 기본이 제일 중요하지 말입니다.

29.

사람들은 사랑했던 기억보다,
이별한 후의 아픔에 더 공감하고

기쁘고 행복했던 일보다,
힘들고 시린 상처에 더 많은 공감을 한다.
그래서인지 요즘 들어 상처 난 글들이 많이 보인다.

** 저도 비슷한 종류의 글을 자주 쓰긴 하지만,
상처라기보다, 뭐랄까. 그냥 좋은 기억이에요, 나에겐.
상처가 흉터쯤이 되어 보고 있으면 웃음이 나면서도
그때일이 기억나는 것과 비슷하다고 해야 할까요.

이 글을 읽는 당신도 이제는 상처가 흉터쯤이 되었으면 좋겠네요.

30.

여행의 매력은
아마 후유증이 아닌가 싶다.

여행을 할 때에는 그곳이 딱히 중요하다거나,
그렇게까지 소중하다고 느껴지지 않는데
다녀와서 내 일상으로 돌아오면 특별해지고,
좋은 기억으로 남기 때문.

너란 사람이 나에게 그런 것 같다는 생각이 들었다.

같이 밥 먹고, 차 마시고, 시시콜콜한 이야기를 주고받는 것이
무슨 큰 의미가 있을까 생각했는데 뒤돌아 집에 오는 버스 안에서
네가 했던 이야기들과, 네 표정들을 곱씹으며
나도 모르게 웃게 되는 것.
그리고는 오늘 참 좋은 하루였다, 싶은 것.

사랑이라는 게 정말이지 소박한데에서부터 시작되는 것이구나,
느끼는 것.

31.

오늘도 너 덕분에 나는 많이 즐겁고, 행복했어. 진심이야.
글자 하나하나에 진심을 꾹꾹 담아 쓴 건데 부디 네가 느끼기를 바라.
나는 진짜 너무 행복하고, 감동적인 날이었어.

너랑 함께 밥 먹고, 차 마시고, 시시콜콜한 이야기를
나눌 수 있어서.

32.

이제까지 그대가 살아왔던 세월, 존중해.
그것이 어떤 형태의 삶이었던지 간에 말이야.
앞으로는 내가 존경하는 세월이 되기를 부탁할게.

#3. 내 이야기

1.

책 제목이 왜 177번지인지 궁금해 하는 분들이 있을 텐데
저는 오지랖이 넓은 사람이라 구지 설명하고 싶어요.
다름이 아니라, 우리 집이 177번지에요.
어딜 가든 자기소개를 먼저 하더라고요. 제 소개입니다.

** 동방예의지국에 사는 흔한 글쓴이 올림.

2.

이번 주 토요일에 로또 일등에 당첨된다면
어떤 기분일 것 같냐고 누가 물었다.
나는 아마 기쁨을 주체 못하고 토요일이 오기만을 기다리며
한 주를 보낼 것 같다고 대답했다.
그랬더니, 그런 기분으로 인생을 살라고 했다.
매일 매일 기쁨을 주체할 수 없는 그 기분으로

3.

20대 : 각자 가지고 있는 주관들이 신념이 되는 나이.
좀 더 나이가 들면 고집이라고 불려 지기도 하고,
고리타분한 것이 될지도 모르지만 나만의 뚜렷한 신념이 있고,
내가 정의롭다고 생각하는 것, 내가 옳다고 생각되는 것,
내가 가치 있게 여기는 것이 뚜렷해진다는 게
나쁘지만은 않은 것 같다.

조금 외로울 뿐이지.

4.

주체할 수 없을 만큼 떠밀려오는 스트레스에
이것저것 마구 먹다 배탈이 났다.
배탈이 좀 나아지나 싶으면 또 다시 우걱우걱 먹을 것을
뱃속으로 들이밀고, 배탈 나기를 반복하고 있는 지금.
그러지 말아야지, 하는 행동들 중에 하나를 하고 있다.

더군다나 나는 나를 위로할 줄 몰라서.

나에게 다정하게 대하는 법을 몰라서 못난 짓만 하고 있다.

5.

내 입맛에 맞는 밥을 먹는 것도,
내 맘에 꼭 드는 무언가를 사는 것도,
사랑을 하는 것도, 숨 쉬고 사는 것도 사실은 쉬운 일이 아니다.
그 어려운 일을 자꾸 해내는 것도 행복이지 말입니다.

생각보다 대단한 사람입니다. 우리가

6.

나이를 먹는다는 게 서글픈 것은,
단순히 외적인 노화 때문이 아니라는 것을 배웠다.

그 어떤 것을 보아도, 들어도, 먹어도,
더 이상 새로울 것이 없는 내 모습에 서글퍼지는 것이었다.

세상의 무궁무진한 발전보다도 더 놀라운 것은

이제는 전혀 놀랄 일이 없는 내 삶이라서.

7.

내가 쓴 글을 공개하면,
특히 SNS에 공개하면 왠지 글이 도망갈 것 같은 느낌이 들었다.
내가 이 글을 쓰면서 느꼈던 감정, 그 날의 일들, 분위기
모든 것들이 너무 쉬워지는 것 같아서, 닳아 없어질까 봐서
망설이고 망설이던 날들.

** 기쁜 일도, 슬픈 일도 2번, 3번 이야기하면 할수록,
횟수가 더해지면 더해질수록
그 감정이 무뎌진다.
내 이야기가 그렇게 무뎌질까 겁이 났던 것일지도.

8.

예를 들면, 머리가 맘에 안 든다거나
뭘 입어도 내 맘에 안 든다거나
오늘따라 더 못생겨 보인다거나 하는 사소하고 작은 일들에
관심이 덜 가게 되니 좋다.
그래도 일어나는 일들과 사람들, 삶의 부분에 무신경해지는
부작용은 내가 원한 게 아니었는데.

9.

이제는 멋을 내는 사람보다 예의를 갖춘 사람이 더 눈에 들어오고,
높은 직책이 아니나, 존경을 받는 사람들이 부럽다.
이것은 오랜 시간 쌓여야 빛을 보는 성품이니까.
그 사람은 긴 시간을 그렇게 살아왔다는 뜻이니까.

10.

누군가 내 귀에 이어폰을 꽂아 주고는

좋은 노래 한 곡 들려줬으면 좋겠다.

11.

약이 다 돼 죽은 시계에 새 건전지를 넣기가 망설여진다.

나는 아직 17살을 살고 있을 때도 있고,
7살을 살고 있을 때도 있고,
20살을 살고 있을 때도 있는데.

시간이 가면 왠지 나도 시간에 맞게 나이를 먹으며
흘러가야 할 것 같아서.

12.

어떤 것은 때로 원본이 가장 훌륭할 때가 있습니다.
더 좋아 보이려 갖은 효과를 넣으면 원본만도 못한 기억이 되고 말죠.
힘을 조금 빼고, 있는 그대로를 아름답게 바라보는 눈을
가져보세요. 많은 것들이 변합니다.

13.

지하철을 타고 가며 보는 풍경들이 전부였고,
버스타고 가면서 올려다본 하늘이 내 시야의 전부였다.
나머지는 컴퓨터 앞에 있거나 책을 들여다보거나
머리를 쓰거나 일을 하는 것으로 시간을 보냈다.
먼지가 가득 쌓인 창문 너머로 본 하늘이 저렇게도 파란데,
실제로 보면 더 참하고 아름답겠지.

14.

우리는 누군가가, 무엇인가가 되어야 한다는 이야기를
자주 듣습니다. 집에서는 부모님께 자랑스러운 아들, 딸로,
사람들 사이에서는 당당하게 내세울 수 있는 직업을 가진
사람으로, 지인들 사이에서는 한결같은 친구로.

해야 될 역할이 너무 많죠. 사실, 나는 딱 나 같은 사람인데.
어디에 있든, 무엇이 되었든 저는 다 응원합니다.
물론, 제 자신도요.

15.

핸드폰이 128GB라 사진만 12,372장이 있습니다.
오늘처럼 마음이 답답한 것이, 왠지 울적한 날은
추억을 들여다보는 것도 좋은 방법인 것 같아요.
조금이나마 내 자신에게 미소를 지어보일 수 있으니까요.

16.

177번지라는 책 제목에 맞게 무수히 많은 생각을 했어요.
어떻게 마무리를 지어야할지.

177개의 이야기를 써볼까, 177페이지의 책을 만들까 고민하다,
뜨듯 미지근하게 그냥 여기서 마무리하기로 했어요.

그래도 77페이지라는 숫자에 맞춰 마무리 지어요.

저는 스물셋이고, 어엿한 일자리가 있어 직업을 가진 사람이에요.
대학교도 다니고 있고, 대학원 공부도 준비 중이죠.
제가 이 책을 붙들고 있던 시간이 사실, 좀 오래 됐어요.
곰곰이 생각해보면, 글에 끝이 있을까? 하는 생각이 듭니다.
그래서 이쯤 마무리 지으려고 해요.
이야기가 생기면, 그때 또 보따리를 풀어볼게요.

나를 위한 책이지만, 또한 당신을 위한 책이기도 했으면 좋겠어요.
그때까지 우리 서로 잘 지내고 있기로 해요.

2-0-1-6. 0-6. 1-7. 금. PM 11:52. Written By. JIING_GUK.

작가의 말

작가라는 말이 너무 새삼스럽네요.
작가라기 보단, 177번지에 사는 누군가라고 하죠.

우리 뇌에는 '뉴런'이라는 신경세포가 수천억 개 존재합니다.
외부의 자극을 뇌로 전달하고, 뇌에서 받은 명령을 손끝과
발끝까지 다시 전달하는 녀석이죠.
그런데 뉴런과 뉴런을 연결하는 '시냅스'라는 부분이 있습니다.
이 녀석의 습성은 한 방향으로, 한번 길을 낸 곳으로 반응을
보내도록 명령한다고 합니다.
이것이 반복되면, 뇌에 길이 만들어진다고 하네요.
늘 비슷한 부분에서 화가 난다거나, 기분이 좋아진다거나 하는
이유가 바로 이 때문입니다. 흥미롭죠?
옛말에 '처음이 어렵다.'는 말이 있습니다.
좋은 일이든, 그렇지 않은 일이든 한 번 시작하고 나면
그 다음번에는 좀 더 쉬워진다는 뜻이죠.

당신에게 '처음'은 무엇인가요?
우리 몸의 작디작은 세포를 연결하는 시냅스란 녀석이
한 번, 두 번 반복을 통해 몸 전체를 다스리는 두뇌에 길을 만듭니다.
여러분이 오늘 옮긴 발걸음 하나, 읽었던 책 한 페이지가,
스쳐 보냈던 작은 생각이, 당신의 길을 만듭니다.